الرسالة الجامعة والتذكرة النافعة

على مذهب الإمام أحمد بن حنبل

تأليف
أحد علماء الحنابلة
كان حياً قبيل سنة ١٣٠١ هـ
رحمه الله تعالى

حققه وعلق عليه
محمد بن عبد الله بن علي الخلفي

دار الأرقم للنشر والتوزيع

ISBN: 978 1 8384897 3 1

British Library Cataloguing in Publishing Data
A catalogue record for this book is available from the British Library

الطبعة الأولىٰ

١٤٤٣هـ - ٢٠٢٢م

برمنغهام (Birmingham) – المملكة المتحدة (United Kingdom)

www.daral-arqam.co.uk
daralarqam@hotmail.co.uk

الرسالة الجامعة
والتذكرة النافعة

مقدمة التحقيق

الحمد لله الذي أرخىٰ من المعارف سدولًا، وهيأ للعلم فحولًا، كُماةً سادةً عدولًا، ينفون عنه تحريف الغالين، وانتحال المبطلين، وتأويل الجاهلين.

وصلىٰ الله وسلم علىٰ سيدنا محمد المصطفىٰ، والرسول المجتبىٰ، ومصباح الدجىٰ، وعلىٰ آل بيته الأطهار، وأصحابه الأبرار، وتابعيهم الأخيار.

أما بعد، فلما كان شرف العلم بشرف المعلوم، كان الفقه في الدين أشرف مروم، لأن به يُعرف الحلال والحرام، وتتميز الحدود والأحكام، فكان من أبلغ العلوم فضيلةً، وأنجحها قُربةً ووسيلةً.

ولما كان علم الفقه محظيًّا بهذه المرتبة العليَّة، والمنزلة الرفيعة الجليَّة، انتصب فقهاء الإسلام في كل أوان، وفي جلِّ الأقطار والأزمان، بإفراد ربع العبادات بالتَّصنيف، فألَّفوا فيه متونًا من أجود التَّآليف.

ومن جملة هذه التصانيف التي عمَّ الانتفاع بها قديمًا وحديثًا،

وأقبل عليها الطلاب إقبالًا حثيثًا: «**الرسالة الجامعة والتذكرة النافعة**» للشيخ السيِّد أحمد بن زين الحِبْشي الشَّافعي (ت: ١١١٤هـ) رحمه الله تعالىٰ.

ولا غروَ، فقد وُفِّق مؤلفه في صياغته، وحسن ترتيبه وعبارته، مع ما صدَّر به كتابه من عقائد التوحيد، وختم به من التصوف السَّديد، فأصبح صالحًا للمبتدئين والنَّاشئين، وعوامِّ المسلمين، فجازاه ذو الحسنىٰ علىٰ حسن سعيه خير الجزاء، وأجزل له المثوبة والعطاء.

ثم يسَّر الله أن نسج علىٰ منواله أحد علماء الحنابلة من القرن الثالث عشر، فأبدل من الكتاب ما يتعلق بالفقه، وجعله وفق مذهب الإمام أحمد بن حنبل رَضِيَ ٱللَّهُ عَنْهُ، وهو كتابنا هذا الذي نحن بصدد تحقيقه.

هذا، وإن التصانيف في العبادات عند الحنابلة قليلة إذا قُورنت بالمذاهب الأخرىٰ، فهاك جملةً مما وقفت عليه من المتون في العبادات علىٰ مذهبنا – وفق الترتيب الزمني –:

١. «**العبادات الخمس في الفقه**» للإمام أبي الخطاب الكلوذاني (ت: ٥١٠هـ).

٢. «**بداية العابد وكفاية الزاهد**» للشيخ عبد الرحمن بن عبد الله

البعلي (ت: ١١٩٢هـ).

٣. «**الرسالة الجامعة والتذكرة النافعة**» وهو كتابنا هذا، أُلِّف قبيل سنة (١٣٠١هـ).

٤. «**الأجوبة الجلية في الأحكام الحنبلية**» للعلامة موسىٰ القدومي (ت: ١٣٣٦هـ).

٥. «**المسائل الفقهية علىٰ مذهب الإمام أحمد**» للعلامة عبد الله الدحيان (ت: ١٣٤٢هـ).

٦. «**الأقوال المرضية في نيل المطالب الأخروية**» للشيخ محمد بن سبيع (ت: ١٣٦١هـ).

وأسأل الله أن يجعل هذا العمل خالصًا لوجهه الكريم، وسببًا للزلفىٰ لديه في جنات النعيم، وأن يرحمني، ووالديَّ، ومشايخي، وجميع المسلمين.

نبذة عن الكتاب ونسخته

وقفت علىٰ نسخة خطية وحيدة للكتاب من مخطوطات جامعة الملك سعود محفوظة برقم ١٥٩٥، تقع في ثمان لوحات بخطٍّ نسخيٍّ واضح، عليها تملك للشيخ صديق بن عبد القادر خوقير سنة ١٣٠١هـ.

عنوان الكتاب مثبت في الورقة الأولىٰ من النسخة كالتالي: «هذه الرسالة الجامعة والتذكرة النافعة علىٰ مذهب الإمام أحمد بن حنبل رحمه الله تعالىٰ مشتملة علىٰ توحيد وفقه وتصوف...» إلىٰ آخره.

ليس في النسخة تصريح باسم المؤلف، إلا أنه جاء في آخرها ما نصه: «كتبه الواثق بالله محمد جاد الله بن إبراهيم»، والذي يغلب علىٰ الظن أنه الناسخ لا المؤلف.

اعتمد المؤلف في حنبلته للكتاب متن «**دليل الطالب**» للشيخ مرعي بن يوسف الكرمي (ت: ١٠٣٣هـ)، مع شرحه «**نيل المآرب**» للشيخ عبد القادر التغلبي (ت: ١١٣٥هـ)، وهذا واضح لمن تأمل

ترتيبه وتقسيمه.

قمت في تحقيق الكتاب بالأعمال التالية:

- تحقيق النص وتشكيله كاملًا مع مراعاة القواعد اللغوية واستعمالات الفقهاء.
- تخريج الأحاديث النبوية الشريفة المذكورة في المتن بذكر المصدر ورقم الحديث.
- المقارنة بين عبارة المؤلف وبين عبارة متن «**الدليل**»، لا سيما إذا وقع تصحيف أو سقط.
- علَّقت علىٰ مواضع من الكتاب تعليقات خفيفة لذكر قيد أو تعريف لم يذكره المؤلف.
- ذكرت ما خالف فيه المؤلف معتمد المذهب، وهي مواضع قليلة جدًّا.
- راجعت كتب المذهب المعتمدة كالمنتهىٰ والإقناع والغاية وشروحها وحواشيها.
- زدت في الهامش مسائل لم يذكرها المؤلف كمواقيت الصلاة لشدة الحاجة إليها.

وإن ظهر خلل أو خطأ فمن تقصيري وسهوي، ورحم الله القائل:

وإن تجد عيبًا فسدَّ الخللا فجلَّ من لا عيب فيه وعلا

وفي الختام، أشكر الشيخ الدكتور نبيل نصار السِّندي الذي تعب في مراجعة الكتاب وأبدىٰ لي ملاحظات مهمة، كما أشكر الأخ عدنان كريم وسائر الإخوة في دار الأرقم علىٰ طباعة هذه الرسالة.

أسأل الله أن يحفظهم وأن يتقبل منهم جهودهم وأن يجعل هذا العمل في ميزان حسناتهم، إنه ولي ذلك والقادر عليه، وآخر دعوانا أن الحمد لله رب العالمين.

كتبه: محمد بن عبد الله بن علي الخلفي

الولايات المتحدة الأمريكية

٢٨ المحرم ١٤٤٣ هـ

الموافق ٠٩/ ٠٦/ ٢٠٢١ مـ

الإيميل: alkhalafim0@gmail.com

الرِّسَالَةُ الجَامِعَةُ والتَّذْكِرَةُ النَّافِعَةُ

بسم الله الرحمن الرحيم

الحمد لله رب العالمين حمدا يوافي نعمه ويكافي مزيده وصلى
الله على سيدنا محمد وعلى آله وصحبه وسلم قال رسول الله صلى
الله عليه وسلم طلب العلم فريضة على كل مسلم وقال صلى الله
عليه وسلم من سلك طريقا يلتمس فيها علما سلك الله به
طريقا الى الجنة وبعد فهذه مسائل مختصرة فيها
اركان الاسلام وما يجب الايمان به من عقائد التوحيد
وفيها ما يضطر الانسان اليه من احكام الطهارة والصلاة
والصوم والزكاة والحج على مذهب الامام احمد بن حنبل
رحمه الله تعالى من عرفها وعمل بها نرجو من الله ان يكون من
اهل العلم ظاهرا وباطنا وبالله التوفيق اركان الاسلام
خمسة شهادة ان لا اله الا الله وان محمدا رسول الله واقام
الصلاة وايتاء الزكاة وصوم رمضان وحج البيت من استطاع
اليه سبيلا مع الاخلاص والتصديق فمن لم يكن مخلصا فهو
منافق ومن لم يكن مصدقا بقلبه فهو كافر واصل الايمان
ان تعتقد ان الله تعالى موجود وانه واحد لا شريك له
ولا شبيه له ليس كمثله شيء وهو السميع البصير خلق السموات
والارض وخلق الموت والحياة والطاعة والمعصية والصحة
والسقم وجميع الكون وما فيه وخلق الخلائق واعمالهم
وقدر ارزاقهم واجالهم لا تزيد ولا تنقص ولا يحدث حادث

الا

الصفحة الأولى من المخطوط

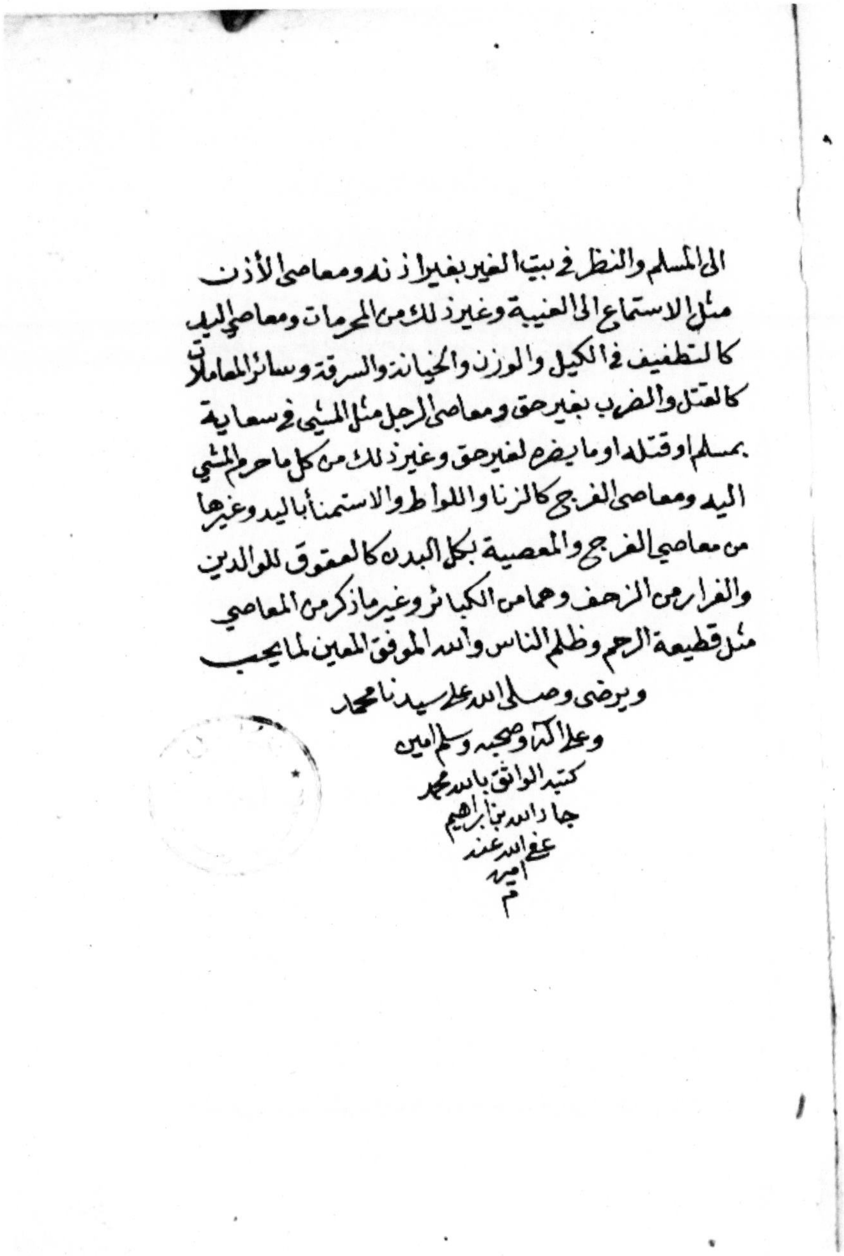
الى المسلم والنظر في بيت الغير بغير إذنه ومعاصي الأذن
مثل الاستماع الى الغيبة وغير ذلك من المحرمات ومعاصي اليد
كالتطفيف في الكيل والوزن والخيانة والسرقة وسائر المعاملات
كالقتل والضرب بغير حق ومعاصي الرجل مثل المشي في سعاية
بمسلم او قتله او ما يضره بغير حق وغير ذلك من كل ما حرم المشي
اليه ومعاصي الفرج كالزنا واللواط والاستمنا باليد وغيرها
من معاصي الفرج والمعصية بكل البدن كالعقوق للوالدين
والفرار من الزحف وهما من الكبائر وغير ما ذكر من المعاصي
مثل قطيعة الرحم وظلم الناس والله الموفق المعين لما يحب
ويرضى وصلى الله على سيدنا محمد
وعلى آله وصحبه وسلم آمين
كتبه الواثق بالله محمد
جاد الله بن ابراهيم
عفا الله عنه
امين
م

الصفحة الأخيرة من المخطوط

بِسْمِ اللَّهِ الرَّحْمَٰنِ الرَّحِيمِ

[مُقَدِّمَةُ الْمُصَنِّفِ]

الحَمْدُ للهِ رَبِّ العَالَمِينَ، حَمْدًا يُوَافِي نِعَمَهُ وَيُكَافِئُ مَزِيدَهُ، وَصَلَّىٰ اللهُ عَلَىٰ سَيِّدِنَا مُحَمَّدٍ وَعَلَىٰ آلِهِ وَصَحْبِهِ وَسَلَّمَ.

قَالَ رَسُولُ اللهِ ﷺ: «**طَلَبُ العِلْمِ فَرِيضَةٌ عَلَىٰ كُلِّ مُسْلِمٍ**»(١)، وَقَالَ ﷺ: «**مَنْ سَلَكَ طَرِيقًا يَلْتَمِسُ فِيهِ عِلْمًا سَهَّلَ اللهُ بِهِ طَرِيقًا إِلَى الْجَنَّةِ**»(٢).

وَبَعْدُ، فَهَٰذِهِ مَسَائِلُ مُخْتَصَرَةٌ فِيهَا أَرْكَانُ الإِسْلَامِ وَمَا يَجِبُ الإِيمَانُ بِهِ مِنْ عَقَائِدِ التَّوْحِيدِ، وَفِيهَا مَا يُضْطَرُّ الإِنْسَانُ إِلَيْهِ مِنْ أَحْكَامِ الطَّهَارَةِ، والصَّلَاةِ، والصَّوْمِ، والزَّكَاةِ، والحَجِّ عَلَىٰ مَذْهَبِ

---

(١) رَوَاهُ ابْنُ مَاجَهْ (٢٢٤) مِنْ حَدِيثِ أَنَسِ بْنِ مَالِكٍ رَضِيَ اللَّهُ عَنْهُ.

(٢) رَوَاهُ مُسْلِمٌ (٢٦٩٩) مِنْ حَدِيثِ أَبِي هُرَيْرَةَ رَضِيَ اللَّهُ عَنْهُ بِنَحْوِهِ. وَرَوَاهُ أَحْمَدُ (٢١٧١٥) وَأَبُو دَاوُدَ (٣٦٤١) وَالتِّرْمِذِيُّ (٢٦٨٢) مِنْ حَدِيثِ أَبِي الدَّرْدَاءِ رَضِيَ اللَّهُ عَنْهُ بِنَحْوِهِ، وَاللَّفْظُ المَذْكُورُ بِحَدِيثِهِ أَشْبَهُ.

الإِمَامِ أَحْمَدَ بْنِ حَنْبَلٍ رَحِمَهُ اللهُ تَعَالَىٰ، مَنْ عَرَفَهَا وَعَمِلَ بِهَا نَرْجُو مِنَ اللهِ أَنْ يَكُونَ مِنْ أَهْلِ العِلْمِ ظَاهِرًا وَبَاطِنًا، وَبِاللهِ التَّوْفِيقُ.

[الاِعْتِقَادُ]

[أَرْكَانُ الإِسْلَامِ]

أَرْكَانُ الإِسْلَامِ خَمْسَةٌ: شَهَادَةُ أَنْ لَا إِلٰهَ إِلَّا اللهُ وَأَنَّ مُحَمَّدًا رَسُولُ اللهِ، وَإِقَامُ الصَّلَاةِ، وَإِيتَاءُ الزَّكَاةِ، وَصَوْمُ رَمَضَانَ، وَحَجُّ الْبَيْتِ مَنِ اسْتَطَاعَ إِلَيْهِ سَبِيلًا مَعَ الإِخْلَاصِ والتَّصْدِيقِ.

فَمَنْ لَمْ يَكُنْ مُخْلِصًا: **فَهُوَ مُنَافِقٌ**، وَمَنْ لَمْ يَكُنْ مُصَدِّقًا بِقَلْبِهِ: **فَهُوَ كَافِرٌ**.

[أَسْمَاءُ اللهِ وَصِفَاتُهُ]

وَأَصْلُ الإِيمَانِ: أَنْ تَعْتَقِدَ أَنَّ اللهَ تَعَالَىٰ مَوْجُودٌ، وَأَنَّهُ وَاحِدٌ لَا شَرِيكَ لَهُ، وَلَا شِبْهَ لَهُ، ﴿لَيْسَ كَمِثْلِهِۦ شَىْءٌۖ وَهُوَ ٱلسَّمِيعُ ٱلْبَصِيرُ﴾ [الشُّورَى: ١١].

خَلَقَ السَّمَاوَاتِ وَالأَرْضَ، وَخَلَقَ المَوْتَ وَالحَيَاةَ، والطَّاعَةَ والمَعْصِيَةَ، والصِّحَّةَ والسَّقَمَ، وَجَمِيعَ الكَوْنِ وَمَا فِيهِ.

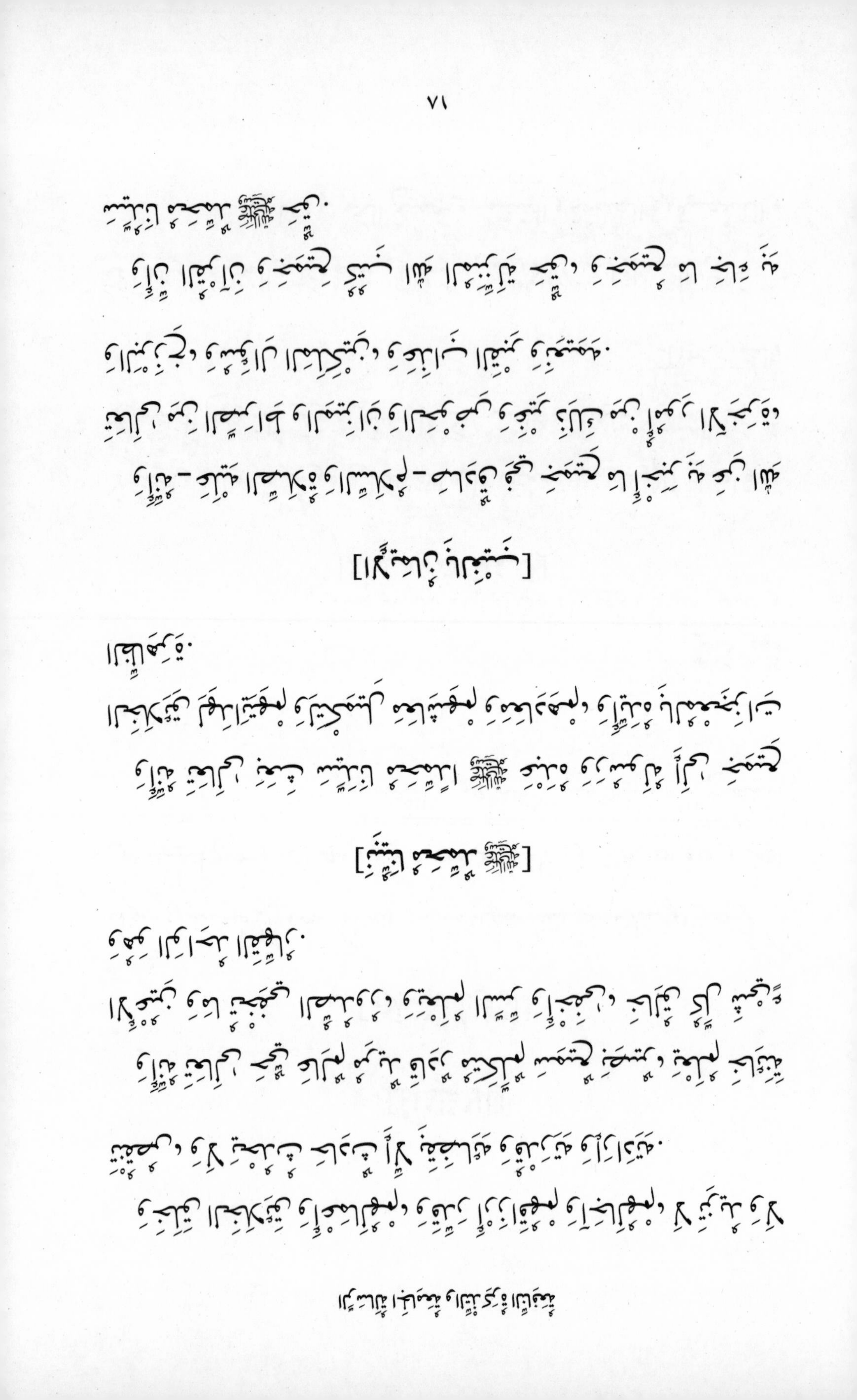

[الطَّهَارَةُ](٣)

فِي الوُضُوءِ

تَجِبُ فِيهِ التَّسْمِيَةُ وَتَسْقُطُ بِالسَّهْوِ، وَمِثْلُهُ الغُسْلُ(٤).

وَفُرُوضُهُ سِتَّةٌ:

الأَوَّلُ: غَسْلُ الوَجْهِ، وَمِنْهُ المَضْمَضَةُ وَالِاسْتِنْشَاقُ.

وَحَدُّهُ: مِنْ مَنَابِتِ شَعْرِ الرَّأْسِ المُعْتَادِ، مَعَ مَا انْحَدَرَ مِنَ اللَّحْيَيْنِ والذَّقَنِ طُولًا، وَمِنَ الأُذُنِ إِلَىٰ الأُذُنِ عَرْضًا.

وَالثَّانِي: غَسْلُ اليَدَيْنِ مَعَ المِرْفَقَيْنِ.

وَالثَّالِثُ: مَسْحُ الرَّأْسِ كُلِّهِ، وَمِنْهُ الأُذُنَانِ، **وَحَدُّهُ:** مِنَ الوَجْهِ إِلَىٰ مَا يُسَمَّىٰ قَفًا.

---

(٣) **الطَّهَارَةُ لُغَةً:** النَّظَافَةُ وَالنَّزَاهَةُ مِنَ الأَقْذَارِ، **وَشَرْعًا:** ارْتِفَاعُ الحَدَثِ وَمَا فِي مَعْنَاهُ، وَزَوَالُ الخَبَثِ، أَوِ ارْتِفَاعُ حُكْمِ ذَلِكَ.

(٤) وَكَذَا التَّيَمُّمُ، وَغَسْلُ يَدَيْ القَائِمِ مِنْ نَوْمِ لَيْلٍ نَاقِضٍ لِوُضُوءٍ.

وَالرَّابِعُ: غَسْلُ الرِّجْلَيْنِ مَعَ الكَعْبَيْنِ.

وَالخَامِسُ: التَّرْتِيبُ.

وَالسَّادِسُ: المُوَالَاةُ.

وَشُرُوطُهُ ثَمَانِيَةٌ :انْقِطَاعُ مَا يُوجِبُهُ، وَالنِّيَّةُ، وَالإِسْلَامُ، وَالعَقْلُ، وَالتَّمْيِيزُ، وَالمَاءُ الطَّهُورُ المُبَاحُ، وَإِزَالَةُ مَا يَمْنَعُ وُصُولَهُ، وَالِاسْتِنْجَاءُ.

وَإِنْ كَانَ جُنُبًا: لَزِمَهُ **غَسْلُ جَمِيعِ بَدَنِهِ**(٥) عَنْ رَفْعِ الحَدَثِ مُطْلَقًا.

[نَوَاقِضُ الوُضُوءِ]

وَنَوَاقِضُ الوُضُوءِ ثَمَانِيَةٌ:

أَحَدُهَا: الخَارِجُ مِنَ السَّبِيلَيْنِ مِنْ غَيْرِ تَفْصِيلٍ.

الثَّانِي: خُرُوجُ النَّجَاسَةِ مِنْ بَقِيَّةِ البَدَنِ. فَإِنْ كَانَ الخَارِجُ بَوْلًا أَوْ غَائِطًا: نَقَضَ مُطْلَقًا. وَإِنْ كَانَ دَمًا أَوْ قَيْئًا(٦): نَقَضَ إِنْ فَحُشَ.

---

(٥) حَتَّىٰ فَمَهُ وَأَنْفَهُ، فَتَجِبُ المَضْمَضَةُ وَالِاسْتِنْشَاقُ فِيهِ.

(٦) أَوْ نَجِسًا غَيْرَهُمَا، كَالقَيْحِ وَالصَّدِيدِ.

الثَّالِثُ: زَوَالُ العَقْلِ، أَوْ تَغْطِيَتُهُ بِإِغْمَاءٍ أَوْ نَوْمٍ مَا لَمْ يَكُنِ النَّوْمُ يَسِيرًا مِنْ جَالِسٍ وَقَائِمٍ.

الرَّابِعُ: مَسُّ فَرْجِ الآدَمِيِّ المُتَّصِلِ بِلَا حَائِلٍ، مِنْ ذَكَرٍ أَوْ أُنْثَىٰ، صَغِيرًا وَكَبِيرًا، وَحَلْقَةِ دُبُرِهِ بِبَطْنِ الكَفِّ وَظَهْرِهِ وَحُرُوفِهِ(٧).

الخَامِسُ: تَلَاقِي بَشَرَتَيْ ذَكَرٍ وَأُنْثَىٰ وَلَوِ احْتِمَالًا بِشَهْوَةٍ، لَا لَمْسُ مَنْ دُونَ سَبْعٍ، وَلَا لِسِنٍّ، وَلَا شَعْرٍ، وَلَا ظُفْرٍ.

السَّادِسُ: غَسْلُ المَيِّتِ.

السَّابِعُ: أَكْلُ لَحْمِ الإِبِلِ.

الثَّامِنُ: الرِّدَّةُ، وَالعِيَاذُ بِاللهِ تَعَالَىٰ.

وَشُرُوطُ صِحَّةِ الصَّلَاةِ تِسْعَةٌ:

[١] الإِسْلَامُ،

[٢] وَالعَقْلُ،

[٣] وَالتَّمْيِيزُ،

---

(٧) أَيْ: وَأَطْرَافِ الكَفِّ.

[٤] وَالطَّهَارَةُ مَعَ القُدْرَةِ،

[٥] وَدُخُولُ الوَقْتِ(٨)،

[٦] وَسَتْرُ العَوْرَةِ(٩) مَعَ القُدْرَةِ بِشَيْءٍ لاَ يَصِفُ البَشَرَةَ، وَيُزَادُ لِرَجُلٍ سَتْرُ أَحَدِ عَاتِقَيْهِ(١٠).

[٧] وَاجْتِنَابُ النَّجَاسَةِ لِثَوْبِهِ وَبَدَنِهِ وَمَكَانِهِ مَعَ القُدْرَةِ، وَإِبَاحَةُ مَا صَلَّىٰ بِهِ وَفِيهِ.

وَلَا يَصِحُّ الفَرْضُ فِي الكَعْبَةِ - وَالحِجْرُ مِنْهَا -.

---

(٨) مَوَاقِيتُ الصَّلَاةِ:

[١] وَقْتُ الظُّهْرِ مِنَ الزَّوَالِ إِلَىٰ أَنْ يَصِيرَ ظِلُّ كُلِّ شَيْءٍ مِثْلَهُ سِوَىٰ ظِلِّ الزَّوَالِ.

[٢] ثُمَّ يَلِيهِ الوَقْتُ المُخْتَارُ لِلْعَصْرِ حَتَّىٰ يَصِيرَ ظِلُّ كُلِّ شَيْءٍ مِثْلَيْهِ سِوَىٰ ظِلِّ الزَّوَالِ، ثُمَّ هُوَ وَقْتُ ضَرُورَةٍ إِلَىٰ الغُرُوبِ.

[٣] ثُمَّ يَلِيهِ وَقْتُ المَغْرِبِ حَتَّىٰ يَغِيبَ الشَّفَقُ الأَحْمَرُ.

[٤] ثُمَّ يَلِيهِ الوَقْتُ المُخْتَارُ لِلْعِشَاءِ إِلَىٰ ثُلُثِ اللَّيْلِ الأَوَّلِ، ثُمَّ هُوَ وَقْتُ ضَرُورَةٍ إِلَىٰ طُلُوعِ الفَجْرِ.

[٥] ثُمَّ يَلِيهِ وَقْتُ الفَجْرِ إِلَىٰ شُرُوقِ الشَّمْسِ.

(٩) عَوْرَةُ الرَّجُلِ وَالأَمَةِ مَا بَيْنَ السُّرَّةِ وَالرُّكْبَةِ - وَلَيْسَتَا بِعَوْرَةٍ -، وَالحُرَّةُ البَالِغَةُ كُلُّهَا عَوْرَةٌ إِلَّا وَجْهَهَا فِي الصَّلَاةِ.

(١٠) فِي الفَرْضِ دُونَ النَّفْلِ.

وَكَذَا(١١) المَقْبَرَةُ، وَالمَجْزَرَةُ، وَأَعْطَانُ الإِبِلِ، وَقَارِعَةُ الطَّرِيقِ، وَالحَمَّامُ(١٢).

[٨] وَاسْتِقْبَالُ القِبْلَةِ، وَيَجِبُ تَعَلُّمُ مَعْرِفَةِ اسْتِدْلَالَاتِهَا.

[٩] وَالنِّيَّةُ، وَمَحَلُّهَا القَلْبُ، وَحَقِيقَتُهَا العَزْمُ.

وَشُرُوطُهَا: الإِسْلَامُ، وَالعَقْلُ، وَالتَّمْيِيزُ.

وَزَمَنُهَا: أَوَّلَ العِبَادَاتِ أَوْ قُبَيْلَهَا، وَاللهُ أَعْلَمُ.

---

(١١) فَلَا تَصُحُّ الصَّلَاةُ فِي هَذِهِ الأَمَاكِنِ - فَرْضًا كَانَتْ أَوْ نَفْلًا -.

(١٢) **المَوَاضِعُ الَّتِي لا تَصِحُّ فِيهَا الصَّلَاةُ تِسْعَةٌ**، ذَكَرَ المُصَنِّفُ مِنْهَا خَمْسَةً، وَالأَرْبَعَةُ البَاقِيَةُ: الأَرْضُ المَغْصُوبَةُ، وَالمَزْبَلَةُ، والحُشُّ - مَحَلُّ قَضَاءِ الحَاجَةِ -، وَأَسْطِحَةُ مَا سَبَقَ.

الصَّلَاةُ[١٣]

تَجِبُ عَلَىٰ كُلِّ مُسْلِمٍ مُكَلَّفٍ[١٤]، وَتَصِحُّ مِنْ مُمَيِّزٍ.

[أَرْكَانُ الصَّلَاةِ]

وَأَرْكَانُهَا أَرْبَعَةَ عَشَرَ:

أَحَدُهَا: القِيَامُ فِي الفَرْضِ عَلَىٰ القَادِرِ.

الثَّانِي: تَكْبِيرَةُ الإِحْرَامِ: «**اللهُ أَكْبَرُ**»، مُرَتَّبًا وُجُوبًا، مُسْمِعًا بِهَا نَفْسَهُ، وَبِكُلِّ رُكْنٍ قَوْلِيٍّ كَقِرَاءَةِ الفَاتِحَةِ، وَوَاجِبٍ قَوْلِيٍّ كَتَكْبِيرَاتِ الِانْتِقَالَاتِ، وَتَشَهُّدٍ أَوَّلَ، وَتَسْمِيعٍ، وَتَحْمِيدٍ.

الثَّالِثُ: قِرَاءَةُ الفَاتِحَةِ مُرَتَّبَةً، وَفِيهَا أَحَدَ عَشَرَ شَدَّةً، فَإِنْ تَرَكَ وَاحِدَةً عَمْدًا، أَوْ حَرْفًا: **لَمْ تَصِحَّ**.

---

(١٣) **الصَّلَاةُ لُغَةً:** الدُّعَاءُ، **وَشَرْعًا:** أَقْوَالٌ وَأَفْعَالٌ مَخْصُوصَةٌ، مُفْتَتَحَةٌ بِالتَّكْبِيرِ، مُخْتَتَمَةٌ بِالتَّسْلِيمِ.

(١٤) إِلَّا حَائِضًا وَنُفَسَاءَ، فَلَا تَجِبُ عَلَيْهِمَا وَلَا تَصِحُّ.

وَيَلْزَمُهُ تَعَلُّمُهَا، وَمَنْ لَمْ يَعْرِفْ إِلَّا آيَةً: كَرَّرَهَا بِقَدْرِهَا. فَإِنْ لَمْ يُحْسِنْ إِلَّا بَعْضَ آيَةٍ: لَمْ يُكَرِّرْهَا، وَعَدَلَ إِلَىٰ غَيْرِهَا.

الرَّابِعُ: الرُّكُوعُ، **وَأَقَلُّهُ**: أَنْ يَنْحَنِيَ بِحَيْثُ يُمْكِنُهُ مَسُّ رُكْبَتَيْهِ بِكَفَّيْهِ. **وَأَكْمَلُهُ**: أَنْ يَمُدَّ ظَهْرَهُ مُسْتَوِيًا.

الخَامِسُ: الرَّفْعُ مِنْهُ، وَلَا يَقْصِدُ بِرَفْعِهِ غَيْرَهُ(١٥).

السَّادِسُ: الِاعْتِدَالُ قَائِمًا.

السَّابِعُ: السُّجُودُ، **وَأَكْمَلُهُ**: تَمْكِينُ جَبْهَتِهِ، وَأَنْفِهِ، وَكَفَّيْهِ، وَرُكْبَتَيْهِ، وَأَطْرَافِ أَصَابِعِ قَدَمَيْهِ مِنْ مَحَلِّ سُجُودِهِ، **وَأَقَلُّهُ**: وَضْعُ جُزْءٍ مِنْ كُلِّ عُضْوٍ. وَيُعْتَبَرُ المَقَرُّ لِأَعْضَاءِ السُّجُودِ(١٦).

الثَّامِنُ: الرَّفْعُ مِنَ السُّجُودِ.

التَّاسِعُ: الجُلُوسُ بَيْنَ السَّجْدَتَيْنِ.

العَاشِرُ: الطُّمَأْنِينَةُ ـ وَهِيَ السُّكُونُ وَإِنْ قَلَّ بِقَدْرِ الإِتْيَانِ بِالوَاجِبِ

---

(١٥) فَلَا يَقْصِدُ بِالرَّفْعِ غَيْرَ الِانْتِقَالِ إِلَىٰ رُكْنِ الِاعْتِدَالِ، فَلَوْ قَامَ فَزَعًا مِنْ شَيْءٍ لَمْ يُعْتَدَّ بِهِ.

(١٦) فَلَوْ وَضَعَ جَبْهَتَهُ عَلَىٰ قُطْنٍ مَنْفُوشٍ وَنَحْوِهِ مِمَّا لَا تَسْتَقِرُّ عَلَيْهِ الأَعْضَاءُ لَمْ يَصِحَّ سُجُودُهُ.

- فِي كُلِّ رُكْنٍ فِعْلِيٍّ.

الحَادِي عَشَرَ: التَّشَهُّدُ الأَخِيرُ، وَهُوَ المُجْزِئُ مِنَ التَّشَهُّدِ الأَوَّلِ.

وَأَقَلُّهُ(١٧): **«التَّحِيَّاتُ للهِ، سَلَامٌ عَلَيْكَ أَيُّهَا النَّبِيُّ وَرَحْمَةُ اللهِ وَبَرَكَاتُهُ، سَلَامٌ عَلَيْنَا وَعَلَىٰ عِبَادِ اللهِ الصَّالِحِينَ، أَشْهَدُ أَنْ لَا إِلٰهَ إِلَّا اللهُ، وَأَنَّ مُحَمَّدًا رَسُولُ اللهِ**(١٨)**؛ اللَّهُمَّ صلِّ علىٰ مُحَمَّد»**. **وَأَكْمَلُهُ**: مَشْهُورٌ.

الثَّانِي عَشَرَ: الجُلُوسُ لَهُ وَلِلتَّسْلِيمَتَيْنِ.

الثَّالِثَ عَشَرَ: التَّسْلِيمَتَانِ، وَهُوَ أَنْ يَقُولَ مَرَّتَيْنِ: **«السَّلَامُ عَلَيْكُمْ وَرَحْمَةُ اللهِ وَبَرَكَاتُهُ**(١٩)**»** مُرَتَّبًا مُعَرَّفًا(٢٠) وُجُوبًا.

وَيَكْفِي فِي جَنَازَةٍ، وَنَفْلٍ(٢١)، وَسُجُودِ تِلَاوَةٍ، وَشُكْرٍ: **وَاحِدَةٌ**.

---

(١٧) بِحَيْثُ مَنْ تَرَكَ حَرْفًا مِنْهُ عَمْدًا لَمْ تَصِحَّ صَلَاتُهُ.

(١٨) أَوْ يَقُولُ: «وَأَنَّ مُحَمَّدًا عَبْدُهُ وَرَسُولُهُ».

(١٩) الأَوْلَىٰ عَدَمُ زِيَادَةِ: «وَبَرَكَاتُهُ»، كَمَا فِي شَرْحِ المُنْتَهَىٰ (١/ ٢٠٤).

(٢٠) فَلَا يُجْزِئُ «سَلَامٌ» بَدَلَ «السَّلَامُ».

(٢١) إِجْزَاءُ تَسْلِيمَةٍ فِي النَّفْلِ قَطَعَ بِهِ فِي الإِقْنَاعِ، وَظَاهِرُ المُنْتَهَىٰ أَنَّ النَّفْلَ كَالفَرْضِ فِي وُجُوبِهِمَا.

الرَّابِعَ عَشَرَ: تَرْتِيبُ الأَرْكَانِ عَلَىٰ مَا ذَكَرْنَاهُ.

[وَاجِبَاتُ الصَّلَاةِ]

وَوَاجِبَاتُهَا ثَمَانِيَةٌ، وَتَبْطُلُ الصَّلَاةُ بِتَرْكِ وَاحِدٍ مِنْهَا عَمْدًا، وَيَسْقُطُ سَهْوًا، وَيَسْجُدُ لَهُ، وَيَسْقُطُ جَهْلًا.

الأَوَّلُ: التَّكْبِيرُ لِغَيْرِ الإِحْرَامِ، لَكِنْ تَكْبِيرَةُ المَسْبُوقِ الَّتِي بَعْدَ تَكْبِيرَةِ الإِحْرَامِ لِلرُّكُوعِ سُنَّةٌ.

الثَّانِي: قَوْلُ: «**سَمِعَ اللهُ لِمَنْ حَمِدَهُ**» [لِلْإِمَامِ وَالمُنْفَرِدِ لَا لِلْمَأْمُومِ.

وَالثَّالِثُ: قَوْلُ][22] «**رَبَّنَا وَلَكَ الحَمْدُ**» لِلْكُلِّ.

وَالرَّابِعُ: قَوْلُ: «**سُبْحَانَ رَبِّيَ العَظِيمِ**» مَرَّةً فِي الرُّكُوعِ.

وَالخَامِسُ: «**سُبْحَانَ رَبِّيَ الأَعْلَىٰ**» مَرَّةً فِي السُّجُودِ.

وَالسَّادِسُ: قَوْلُ: «**رَبِّ اغْفِرْ لِي**» مَرَّةً بَيْنَ السَّجْدَتَيْنِ.

وَالسَّابِعُ: التَّشَهُّدُ الأَوَّلُ عَلَىٰ غَيْرِ مَنْ قَامَ إِمَامُهُ لِثَالِثَةٍ سَهْوًا.

---

(٢٢) مَا بَيْنَ الحَاصِرَتَيْنِ زِيَادَةٌ مِنْ دَلِيلِ الطَّالِبِ لِيَسْتَقِيمَ السِّيَاقُ.

وَالثَّامِنُ: الجُلُوسُ لَهُ.

وَمَحَلُّ ذَلِكَ وُجُوبًا بَيْنَ ابْتِدَاءِ انْتِقَالٍ وَانْتِهَاءٍ[٢٣].

[سُنَنُ الصَّلَاةِ]

وَمَا عَدَا ذَلِكَ فَسُنَنٌ، لَا تَبْطُلُ بِتَرْكِ شَيْءٍ مِنْهَا وَلَوْ عَمْدًا، كَالِاسْتِفْتَاحِ، وَالتَّعَوُّذِ، وَالبَسْمَلَةِ، وقَوْلِ: «**آمِينَ**»، وَقِرَاءَةِ السُّورَةِ، وَقَوْلِ: «**مِلْءَ السَّمَاوَاتِ وَالأَرْضِ**» بَعْدَ التَّحْمِيدِ، وَمَا زَادَ عَلَىٰ المَرَّةِ فِي التَّسْبِيحِ وَ«**رَبِّ اغْفِرْ لِي**»، وَالصَّلَاةِ عَلَىٰ الآلِ فِي التَّشَهُّدِ الأَخِيرِ وَالبَرَكَةِ، وَالدُّعَاءِ.

وَسُنَنُ الأَفْعَالِ كَثِيرَةٌ: رَفْعُ اليَدَيْنِ مَعَ تَكْبِيرَةِ الإِحْرَامِ، وَعِنْدَ الرُّكُوعِ وَالرَّفْعِ مِنْهُ، وَحَطُّهُمَا عَقِبَهُ، وَوَضْعُ اليَمِينِ عَلَىٰ الشِّمَالِ، وَنَظَرُهُ فِي مَوْضِعِ سُجُودِهِ.

وَيَنْبَغِي أَنْ يُحَافِظَ عَلَيْهَا وَإِنْ كَثُرَتْ.

(٢٣) أَيْ: مَحَلُّ مَا تَقَدَّمَ مِنْ تَكْبِيرِ الِانْتِقَالِ وَالتَّسْمِيعِ، وَكَذَا التَّحْمِيدُ لِمَأْمُومٍ.

[مَكْرُوهَاتُ الصَّلَاةِ]

وَمَكْرُوهَاتُهَا: الِاقْتِصَارُ عَلَىٰ الفَاتِحَةِ، وَتَكْرِيرُهَا، وَالْتِفَاتُهُ بِلَا حَاجَةٍ، وَتَغْمِيضُ عَيْنَيْهِ، وَحَمْلُ مُشْغِلٍ، وَافْتِرَاشُ ذِرَاعَيْهِ، وَالعَبَثُ، وَالتَّخَصُّرُ(٢٤)، وَالتَّمَطِّي، وَفَتْحُ فَمِهِ، وَاسْتِقْبَالُ صُورَةٍ مَنْصُوبَةٍ، وَاسْتِقْبَالُ وَجْهِ آدَمِيٍّ وَمُتَحَدِّثٍ وَنَائِمٍ وَنَارٍ وَمَا يُلْهِيهِ، وَأَنْ يَخُصَّ جَبْهَتَهُ بِمَا يَسْجُدُ عَلَيْهِ، وَالِاسْتِنَادُ بِلَا حَاجَةٍ، وَحَمْدُهُ إِذَا عَطَسَ، وَاسْتِرْجَاعُهُ إِذَا وَجَدَ مَا يَغُمُّهُ.

[مُبْطِلَاتُ الصَّلَاةِ]

وَمُبْطِلَاتُهَا: كُلُّ مَا أَبْطَلَ الطَّهَارَةَ، وَكَشْفُ العَوْرَةِ عَمْدًا وَلَوْ يَسِيرًا، إِلَّا إِنْ كَشَفَهَا نَحْوُ رِيحٍ فَسَتَرَهَا بِلَا عَمَلٍ كَثِيرٍ، أَوْ كَانَ المَكْشُوفُ لَا يَفْحُشُ فِي النَّظَرِ، وَاسْتِدْبَارُ القِبْلَةِ حَيْثُ شُرِطَ، وَاتِّصَالُ النَّجَاسَةِ إِنْ لَمْ يُزِلْهَا فِي الحَالِ.

وَيُبْطِلُهَا: العَمَلُ الكَثِيرُ المُتَوَالِي عُرْفًا لِغَيْرِ ضَرُورَةٍ، وَالِاسْتِنَادُ قَوِيًّا لِغَيْرِ عُذْرٍ، وَرُجُوعُهُ لِلتَّشَهُّدِ الأَوَّلِ عَالِمًا ذَاكِرًا بَعْدَ الشُّرُوعِ فِي القِرَاءَةِ، أَوْ مَضَىٰ فِي مَوْضِعٍ يَلْزَمُهُ الرُّجُوعُ فِيهِ.

(٢٤) وَهُوَ أَنْ يَضَعَ يَدَيْهِ عَلَىٰ خَاصِرَتِهِ.

وَتَبْطُلُ الصَّلَاةِ بِزِيَادَةِ رُكْنٍ فِعْلِيٍّ عَمْدًا، وَبِتَعَمُّدِ تَقْدِيمِ بَعْضِ الأَرْكَانِ عَلَىٰ بَعْضٍ، وَبِتَعَمُّدِ السَّلَامِ قَبْلَ إِتْمَامِهَا، وَبِتَعَمُّدِ إِحَالَةِ المَعْنَىٰ فِي القِرَاءَةِ، وَبِوُجُودِ سُتْرَةٍ بَعِيدَةٍ[٢٥]، وَبِفَسْخِ النِّيَّةِ، وَبِالتَّرَدُّدِ، وَبِالعَزْمِ، وَبِشَكِّهِ: هَلْ نَوَىٰ؟ فَعَمِلَ مَعَ الشَّكِّ عَمَلًا، وَبِالدُّعَاءِ بِمَلَاذِّ الدُّنْيَا، وَبِكَافِ الخِطَابِ لِغَيْرِ اللهِ وَرَسُولِهِ أَحْمَدَ، وَبِالقَهْقَهَةِ، وَبِالكَلَامِ، وَبِتَقَدُّمِ المَأْمُومِ عَلَىٰ إِمَامِهِ، وَبِبُطْلَانِ صَلَاةِ إِمَامِهِ، وَبِسَلَامِهِ عَمْدًا قَبْلَ إِمَامِهِ، أَوْ سَهْوًا وَلَمْ يُعِدْهُ، وَبِالأَكْلِ وَالشُّرْبِ، وَإِنْ تَنَحْنَحَ بِلَا حَاجَةٍ فَبَانَ حَرْفَانِ، أَوِ انْتَحَبَ لَا مِنْ خَشْيَةِ اللهِ.

[صَلَاةُ الجَمَاعَةِ]

وَالصَّلَاةُ جَمَاعَةً وَاجِبَةٌ لِلْخَمْسِ المُؤَدَّاةِ لِلرِّجَالِ، الأَحْرَارِ، القَادِرِينَ، حَضَرًا أَوْ سَفَرًا، وَأَقَلُّهَا إِمَامٌ وَمَأْمُومٌ.

وَلَا تَصِحُّ خَلْفَ الفَاسِقِ مُطْلَقًا، إِلَّا جُمْعَةً وَعِيدًا تَعَذَّرَا خَلْفَ غَيْرِهِ.

وَلَا تَصِحُّ خَلْفَ عَاجِزٍ عَنْ شَرْطٍ أَوْ رُكْنٍ إِلَّا بِمِثْلِهِ، إِلَّا الإِمَامَ الرَّاتِبَ المَرْجُوَّ زَوَالُ عِلَّتِهِ، وَلَا خَلْفَ المَرْأَةِ وَالخُنْثَىٰ لِرَجُلٍ.

(٢٥) أَيْ: وَهُوَ عُرْيَانٌ، لِأَنَّهُ يَحْتَاجُ إِلَىٰ عَمَلٍ كَثِيرٍ لِلاسْتِتَارِ بِهَا.

(৪৪) ...

وَسُنَنُهُما: الطَّهَارَةُ مِنَ الحَدَثِ، وَسَتْرُ العَوْرَةِ، وَإِزَالَةُ النَّجَاسَةِ، وَالدُّعَاءُ لِلْمُسْلِمِينَ، وَأَنْ يَتَوَلَّاهُمَا مَعَ الصَّلَاةِ.

وَسُنَّ أَنْ يَخْطُبَ قَائِمًا عَلَىٰ مُرْتَفِعٍ، مُسْتَدْبِرَ القِبْلَةِ، مُعْتَمِدًا عَلَىٰ سَيْفٍ أَوْ عَصًا، وَأَنْ يَجْلِسَ بَيْنَهُمَا.

وَسُنَّ قَصْرُهُمَا، وَكَوْنُ الثَّانِيَةِ أَقْصَرَ.

وَيَحْرُمُ الكَلَامُ فِي حَالِ الخُطْبَةِ إِنْ كَانَ يَسْمَعُهَا، وَيُبَاحُ إِنْ سَكَتَ بَيْنَهُمَا أَوْ شَرَعَ فِي دُعَاءٍ.

وَتَحْرُمُ إِقَامَةُ الجُمُعَةِ وَالعِيدِ فِي أَكْثَرَ مِنْ مَوْضِعٍ مِنَ البَلَدِ إِلَّا لِحَاجَةٍ.

[صَلَاةُ العِيدَيْنِ]

وَصَلَاةُ العِيدَيْنِ فَرْضُ كِفَايَةٍ.

وَشُرُوطُهُمَا: كَالجُمُعَةِ مِنِ اسْتِيطَانٍ وَعَدَدٍ، مَا عَدَا الخُطْبَتَيْنِ فَإِنَّهُمَا سُنَّةٌ.

وَوَقْتُهُمَا: كَوَقْتِ الضُّحَىٰ، فَإِنْ لَمْ يُعْلَمِ العِيدُ إِلَّا بَعْدَ الزَّوَالِ

(٨٩) ...

(٨٧) ...

[ﷺ]

وَأَفْضَلُ **الرَّوَاتِبِ المُؤَكَّدَةِ**: سُنَّةُ الفَجْرِ، ثُمَّ المَغْرِبِ، ثُمَّ سُنَّةُ الظُّهْرِ وَالعِشَاءِ سَوَاءٌ.

وَ**صَلَاةُ الضُّحَىٰ** رَكْعَتَانِ، **وَأَكْثَرُهَا**: ثَمَانٍ، **وَوَقْتُهَا**: مِنْ خُرُوجِ وَقْتِ النَّهْيِ إِلَىٰ قُبَيْلِ الزَّوَالِ.

[الجَنائِزُ]

وَصَلَاةُ الجَنَازَةِ فَرْضُ كِفَايَةٍ[٣١]، وَتَسْقُطُ بِمُكَلَّفٍ - وَلَوْ أُنْثَىٰ -.

[حَقُّ المُسْلِمِ عَلَىٰ المُسْلِمِ]

وَابْتِدَاءُ السَّلَامِ مِنَ المُنْفَرِدِ **سُنَّةٌ**، **وَرَدُّهُ** فَرْضُ عَيْنٍ عَلَىٰ المُنْفَرِدِ، وَفَرْضُ كِفَايَةٍ عَلَىٰ الجَمَاعَةِ.

وَتَشْمِيتُ العَاطِسِ إِذَا حَمِدَ **فَرْضُ كِفَايَةٍ**، وَرَدُّهُ **فَرْضُ عَيْنٍ**.

(٣١) وَكَذَا غَسْلُ الميِّتِ وَتَكْفِينُهُ وَحَمْلُهُ وَدَفْنُهُ.

ܘܠܐ ܀ (٨٦) ܐ ܐ ܐ ܀

(٨٥) ܐ ܐ ܐ ܀

(٦٣) ܐ ܐ ܐ ܀
ܐ ܀

(٨٨) ܐ ܐ ܐ ܀
܀

(٨٧) ܐ ܐ ܐ ܐ ܀

ܐ ܀

ܐ ܐ ܐ ܐ ܀ ܐ ܐ ܀

ܐ (٨٦) ܐ ܀

ܐ ܐ (٨٥) ܐ ܐ ܐ ܀

ܐ (٦٣) ܐ (٨٨) ܐ ܐ ܐ ܀

ܐ ܐ ܀

ܐ ܐ ܐ ܀

[ܐ](٨٨)

(88)

———————

[ ]

(78)

[أَهْلُ الزَّكَاةِ]

وَأَهْلُ الزَّكَاةِ ثَمَانِيَةُ أَصْنَافٍ(٣٩)، لَا يَجُوزُ دَفْعُهَا إِلَىٰ غَيْرِهِمْ، لِلآيَةِ الشَّرِيفَةِ(٤٠).

وَلَا يَجُوزُ دَفْعُهَا لِبَنِي هَاشِمٍ، وَهُمْ سُلَالَةُ هَاشِمٍ. فَيَدْخُلُ آلُ العَبَّاسِ، وَعَلِيٍّ، وَجَعْفَرٍ، وَعَقِيلٍ، وَالحَارِثِ بْنِ عَبْدِ المُطَّلِبِ، وَأَبِي لَهَبٍ؛ مَا لَمْ يَكُونُوا غُزَاةً، أَوْ مُؤَلَّفَةً، أَوْ غَارِمِينَ، وَكَذَا مَوَالِيهِمْ، فَيُعْطَىٰ مَنْ ذُكِرَ بِقَدْرِ الحَاجَةِ.

---

(٣٩) **الأَصْنَافُ الثَّمَانِيَةُ:**

[١] الفَقِيرُ، وَهُوَ مَنْ يَجِدُ أَقَلَّ مِنْ نِصْفِ كِفَايَتِهِ.

[٢] وَالمِسْكِينُ، وَهُوَ مَنْ يَجِدُ نِصْفَ كِفَايَتِهِ أَوْ أَكْثَرَهَا.

[٣] وَالعَامِلُ عَلَيْهَا، وَهُوَ الَّذِي يَكْتُبُ وَيَحْفَظُ وَيَقْسِمُ.

[٤] وَالمُؤَلَّفُ، وَهُوَ السَّيِّدُ المُطَاعُ فِي عَشِيرَتِهِ، مِمَّنْ يُرْجَىٰ إِسْلَامُهُ أَوْ يُخْشَىٰ شَرُّهُ.

[٥] وَفِي الرِّقَابِ، وَهُوَ المُكَاتَبُ، وَلَوْ قَبْلَ حُلُولِ نَجْمٍ.

[٦] وَالغَارِمُ، وَهُوَ مَنْ تَدَيَّنَ لِنَفْسِهِ وَأَعْسَرَ، أَوْ لِإِصْلَاحِ ذَاتِ البَيْنِ.

[٧] وَفِي سَبِيلِ اللهِ، وَهُوَ الغَازِي المُتَطَوِّعُ، أَوْ لِفَرْضِ حَجٍّ وَعُمْرَةٍ.

[٨] وَابْنُ السَّبِيلِ، وَهُوَ الغَرِيبُ المُنْقَطِعُ بِغَيْرِ بَلَدِهِ.

(٤٠) وَهِيَ قَوْلُهُ تَعَالَىٰ: ﴿ إِنَّمَا ٱلصَّدَقَٰتُ لِلْفُقَرَآءِ وَٱلْمَسَٰكِينِ وَٱلْعَٰمِلِينَ عَلَيْهَا وَٱلْمُؤَلَّفَةِ قُلُوبُهُمْ وَفِى ٱلرِّقَابِ وَٱلْغَٰرِمِينَ وَفِى سَبِيلِ ٱللَّهِ وَٱبْنِ ٱلسَّبِيلِ ۖ فَرِيضَةً مِّنَ ٱللَّهِ ۗ وَٱللَّهُ عَلِيمٌ حَكِيمٌ ﴾ [التَّوْبَة: ٦٠]

[الصِّيَامُ][٤١]

وَيَجِبُ **صَوْمُ شَهْرِ رَمَضَانَ** بِرُؤْيَةِ هِلَالِهِ[٤٢]، وَيَجِبُ عَلَىٰ مَنْ حَالَ دُونَهُمْ وَدُونَ مَطْلَعِهِ غَيْمٌ أَوْ قَتَرٌ[٤٣] لَيْلَةَ الثَّلَاثِينَ مِنْ شَعْبَانَ بِنِيَّةِ رَمَضَانَ.

وَشُرُوطُ وُجُوبِهِ أَرْبَعَةٌ: الإِسْلَامُ، وَالبُلُوغُ، وَالعَقْلُ، وَالقُدْرَةُ.

وَشُرُوطُ صِحَّتِهِ خَمْسَةٌ: الإِسْلَامُ، وَالتَّمْيِيزُ[٤٤]، وَالعَقْلُ، وَانْقِطَاعُ دَمِ الحَيْضِ وَالنِّفَاسِ، وَالنِّيَّةُ مِنَ اللَّيْلِ لِلصَّوْمِ الوَاجِبِ.

وَفُرُوضُهُ: الإِمْسَاكُ عَنْ جَمِيعِ المُفَطِّرَاتِ مِنْ طُلُوعِ الفَجْرِ الثَّانِي إِلَىٰ كَمَالِ الغُرُوبِ.

---

(٤١) **الصِّيَامُ لُغَةً**: الإِمْسَاكُ، **وَشَرْعًا**: الإِمْسَاكُ بِنِيَّةٍ عَنْ أَشْيَاءَ مَخْصُوصَةٍ، فِي زَمَنٍ مَخْصُوصٍ، مِنْ شَخْصٍ مَخْصُوصٍ.

(٤٢) فَإِذَا ثَبَتَتْ رُؤْيَتُهُ بِبَلَدٍ لَزِمَ النَّاسَ جَمِيعَهُمُ الصَّوْمُ.

(٤٣) أَوْ غَيْرُهُمَا كَدُخَانٍ أَوْ جَبَلٍ، وَالقَتَرُ: الغُبَارُ.

(٤٤) فَيَصِحُّ مِنْ مُمَيِّزٍ وَلَا يَجِبُ، لَكِنْ عَلَىٰ وَلِيِّهِ أَمْرُهُ بِهِ إِذَا أَطَاقَهُ وَضَرْبُهُ عَلَيْهِ لِيَعْتَادَهُ.

وَسُنَنُهُ: تَعْجِيلُ الفِطْرِ، وَتَأْخِيرُ السُّحُورِ، وَالزِّيَادَةُ فِي عَمَلِ الخَيْرِ، وَقَوْلُهُ إِذَا شُتِمَ أَوْ خُوصِمَ: «**إِنِّي صَائِمٌ**»، وَقَوْلُهُ بَعْدَ الإِفْطَارِ: «**اللَّهُمَّ لَكَ صُمْتُ وَعَلَىٰ رِزْقِكَ أَفْطَرْتُ**»(٤٥)، وَأَنْ يُفْطِرَ عَلَىٰ رُطَبٍ، أَوْ تَمْرٍ، أَوْ مَاءٍ.

وَيَحْرُمُ عَلَىٰ مَنْ لَا عُذْرَ لَهُ الفِطْرُ، وَعَلَيْهِ القَضَاءُ.

وَمَنْ جَامَعَ فِي نَهَارِهِ [أَنْزَلَ أَوْ لَا](٤٦) فِي حَالَةٍ يَلْزَمُهُ فِيهَا الإِمْسَاكُ: لَزِمَهُ القَضَاءُ وَالكَفَّارَةُ، وَكَذَا حُكْمُ مَنْ جُومِعَ إِنْ طَاوَعَ.

[مُبْطِلَاتُ الصِّيَامِ]

وَالمُفَطِّرَاتُ اثْنَا عَشَرَ :خُرُوجُ دَمِ حَيْضٍ أَوْ نِفَاسٍ، وَالمَوْتُ، وَالرِّدَّةُ، وَالعَزْمُ عَلَىٰ الفِطْرِ، وَالتَّرَدُّدُ فِيهِ، وَالقَيْءُ عَمْدًا، وَالاِحْتِقَانُ، وَبَلْعُ النُّخَامَةِ إِذَا وَصَلَتْ إِلَىٰ الفَمِ، وَالحِجَامَةُ لِلحَاجِمِ وَالمَحْجُومِ(٤٧)، وَإِنْزَالُ المَنِيِّ بِتَكْرَارِ النَّظَرِ، وَخُرُوجُ المَنِيِّ وَالمَذْيِ بِتَقْبِيلٍ، أَوْ لَمْسٍ، أَوْ مُبَاشَرَةٍ، وَكُلُّ مَا وَصَلَ إِلَىٰ الجَوْفِ مِنَ الحَلْقِ،

---

(٤٥) رَوَاهُ أَبُو دَاوُدَ (٢٣٥٨) مِنْ حَدِيثِ التَّابِعِيِّ مُعَاذِ بْنِ زُهْرَةَ مُرْسَلًا.

(٤٦) فِي الأَصْلِ: «أَوْ أَلْزَمَ»، وَالظَّاهِرُ أَنَّهُ تَصْحِيفٌ عَنِ المُثْبَتِ فِي نَيْلِ المَآرِبِ (١/ ٢٧٩).

(٤٧) إِنْ ظَهَرَ دَمٌ، وَإِلَّا صَحَّ صَوْمُهُ؛ وَلَا يَفْسُدُ بِنَحْوِ شَرْطٍ وَفَصْدٍ كَتَبَرُّعٍ.

أَوِ الدِّمَاغِ، أَوِ العَيْنِ مِنْ كُحْلٍ أَوْ غَيْرِهِ.

[الحَجُّ][٤٨]

وَالحَجُّ وَاجِبٌ مَعَ العُمْرَةِ فِي العُمُرِ مَرَّةً.

وَشُرُوطُ وُجُوبِهِ خَمْسَةُ أَشْيَاءَ[٤٩]:

[١] الإِسْلَامُ،

[٢] وَالعَقْلُ،

[٣] وَالبُلُوغُ،

[٤] وَكَمَالُ الحُرِّيَّةِ،

---

(٤٨) **الحَجُّ لُغَةً**: القَصْدُ إِلَىٰ مَنْ تُعَظِّمُهُ، **وَشَرْعًا**: قَصْدُ مَكَّةَ لِلنُّسُكِ فِي زَمَنٍ مَخْصُوصٍ.

وَالعُمْرَةُ لُغَةً: الزِّيَارَةُ، **وَشَرْعًا**: زِيَارَةُ البَيْتِ عَلَىٰ وَجْهٍ مَخْصُوصٍ.

(٤٩) قَالَ الشَّيْخُ عُثْمَانُ بْنُ قَائِدِ النَّجْدِيُّ فِي هِدَايَةِ الرَّاغِبِ (٢/ ٣٣٥): «وَقَدْ جَمَعْتُهَا بِبَيْتَيْنِ فَقُلْتُ:

الحَجُّ وَالعُمْرَةُ وَاجِبَانِ فِي العُمْرِ مَرَّةً بِلَا تَوَانِي
بِشَرْطِ إِسْلَامٍ كَذَا حُرِّيَّةْ عَقْلٍ بُلُوغٍ قُدْرَةٍ جَلِيَّةْ

وَقَوْلُهُ: بِلَا تَوَانِي، إِشَارَةً إِلَىٰ أَنَّ وُجُوبَهُمَا بِالشُّرُوطِ المَذْكُورَةِ عَلَىٰ الفَوْرِ». انْتَهَىٰ.

لَكِنْ يَصِحَّانِ مِنَ الصَّغِيرِ وَالرَّقِيقِ وَلَا يُجْزِئَانِ عَنْ حَجَّةِ الإِسْلَامِ.

[٥] وَالِاسْتِطَاعَةُ، وَهِيَ مِلْكُ زَادٍ وَرَاحِلَةٍ، أَوْ مَلَكَ مَا يَقْدِرُ بِهِ عَلَىٰ تَحْصِيلِ ذَلِكَ، بِشَرْطِ كَوْنِهِ فَاضِلًا عَمَّا يَحْتَاجُهُ مِنْ بَيْتٍ وَمَسْكَنٍ وَخَادِمٍ، وَفَاضِلًا عَنْ مُؤْنَتِهِ وَمُؤْنَةِ عِيَالِهِ عَلَىٰ الدَّوَامِ.

وَتُزَادُ المَرْأَةُ: **وُجُودَ زَوْجٍ أَوْ مَحْرَمٍ.**

[أَرْكَانُ الحَجِّ]

وَأَرْكَانُهُ أَرْبَعَةٌ:

الأَوَّلُ: الإِحْرَامُ مِنَ المِيقَاتِ، وَهُوَ مُجَرَّدُ النِّيَّةِ.

وَالثَّانِي: الوُقُوفُ، **وَوَقْتُهُ**: مِنْ طُلُوعِ فَجْرِ يَوْمِ عَرَفَةَ إِلَىٰ طُلُوعِ فَجْرِ يَوْمِ النَّحْرِ.

وَالثَّالِثُ: طَوَافُ الإِفَاضَةِ، وَأَوَّلُ وَقْتِهِ مِنْ نِصْفِ لَيْلَةِ النَّحْرِ، وَلَا حَدَّ لِآخِرِهِ.

وَشُرُوطُ الطَّوَافِ أَحَدَ عَشَرَ:

الأَوَّلُ: النِّيَّةُ. **وَالثَّانِي**: الإِسْلَامُ. **وَالثَّالِثُ**: العَقْلُ. **وَالرَّابِعُ**: دُخُولُ

[illegible] (٦٠)

[illegible] (٦٥)

[illegible] (٧٥)

[illegible] (٨٥)

[illegible]

[illegible]

[illegible]

[illegible] (٦٠) [illegible] (٦٥) [illegible]

[illegible]

[illegible] (٧٥) [illegible]

[illegible] (٨٥) [illegible]

[illegible]

[illegible]

[illegible]

[illegible]

[خَاتِمَةٌ فِي السُّلُوكِ]

وَحِفْظُ القَلْبِ مِنَ المَعَاصِي فَرْضٌ عَلَىٰ كُلِّ مُسْلِمٍ.

وَكَذَا **حِفْظُ الأَعْضَاءِ السَّبْعَةِ**، وَهِيَ: البَطْنُ، وَاللِّسَانُ، وَالعَيْنُ، وَالأُذُنُ، وَاليَدُ، وَالرِّجْلُ، وَالفَرْجُ.

[مَعَاصِي القَلْبِ]

فَمِنْ مَعَاصِي القَلْبِ: الشَّكُّ فِي اللهِ، وَالأَمْنُ مِنْ مَكْرِ اللهِ، وَالقُنُوطُ مِنْ رَحْمَةِ اللهِ، وَالتَّكَبُّرُ عَلَىٰ عِبَادِ اللهِ، وَالرِّيَاءُ، وَالعُجْبُ بِطَاعَةِ اللهِ، وَالحَسَدُ وَالحِقْدُ عَلَىٰ عَبِيدِ اللهِ.

وَمَعْنَىٰ الحَسَدِ: كَرَاهِيَةُ النِّعْمَةِ عَلَىٰ المُسْلِمِ وَاسْتِثْقَالُهَا.

وَمِنْهَا: الإِصْرَارُ عَلَىٰ مَعْصِيَةِ اللهِ، وَالبُخْلُ بِمَا أَوْجَبَ اللهُ، وَسُوءُ الظَّنِّ بِاللهِ وَبِخَلْقِ اللهِ، وَالتَّصْغِيرُ لِمَا عَظَّمَ اللهُ مِنْ طَاعَةٍ أَوْ مَعْصِيَةٍ، أَوْ قُرْآنٍ أَوْ عِلْمٍ، أَوْ جَنَّةٍ أَوْ نَارٍ.

وَكُلُّ ذَلِكَ مِنَ المَعَاصِي وَالخَبَائِثِ المُهْلِكَاتِ، بَلْ بَعْضُ ذَلِكَ

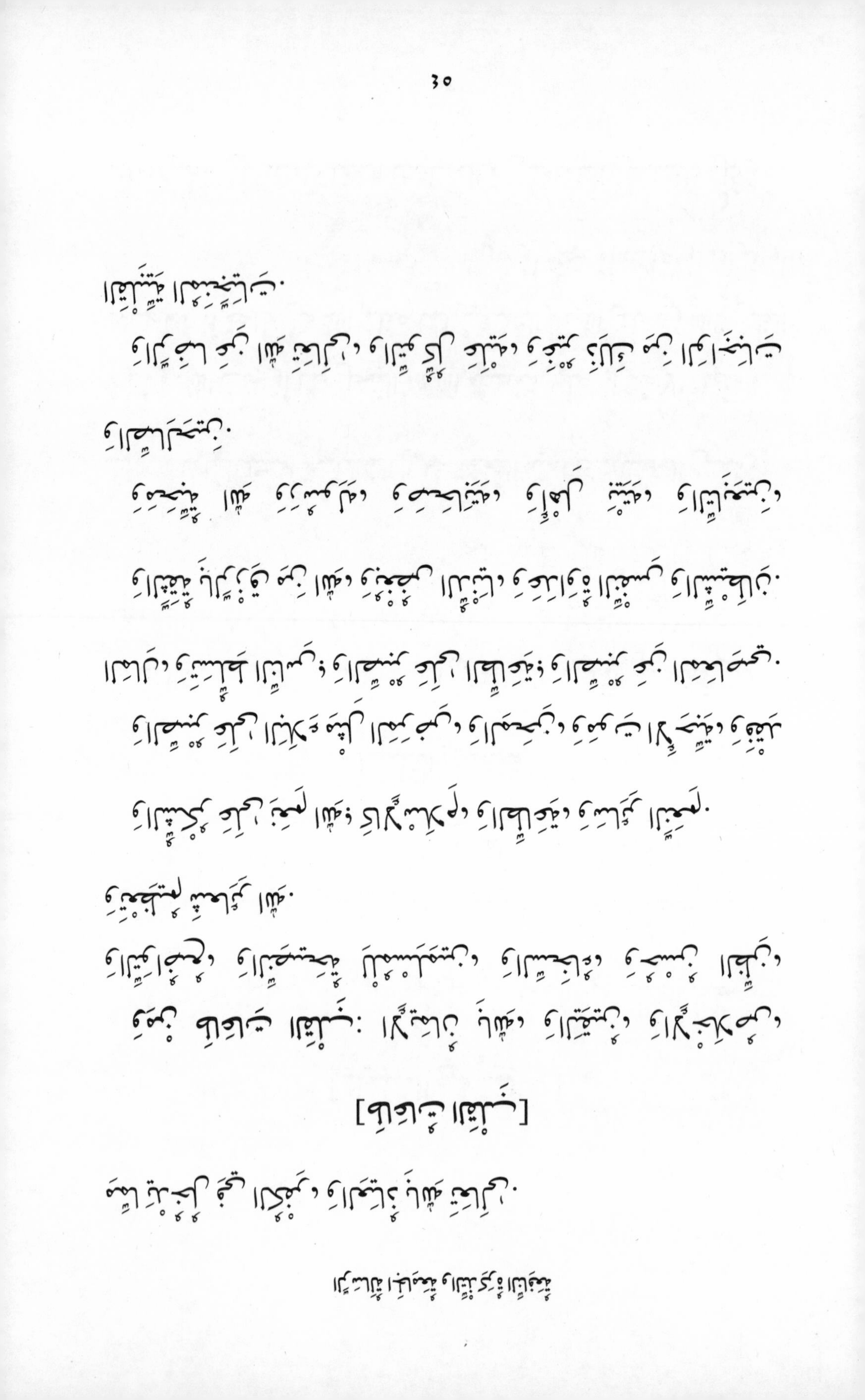

[مَعَاصِي البَطْنِ]

وَأَمَّا مَعَاصِي الجَوَارِحِ:

فَمَعَاصِي البَطْنِ مِثْلُ: أَكْلِ الرِّبَا، وَشُرْبِ كُلِّ مُسْكِرٍ، وَأَكْلِ مَالِ اليَتِيمِ، وَكُلِّ مَا حَرَّمَ اللهُ عَلَيْهِ مِنَ المَأْكُولَاتِ وَالمَشْرُوبَاتِ.

وَقَدْ لَعَنَ اللهُ وَرَسُولُهُ آكِلَ الرِّبَا، وَكُلَّ مَنْ أَعَانَ عَلَىٰ أَكْلِهِ(٦١)؛ وَلَعَنَ شَارِبَ الخَمْرِ، وَكُلَّ مَن أَعَانَ عَلَىٰ شُرْبِهِ، حَتَّىٰ البَائِعَ لَهُ(٦٢).

[مَعَاصِي اللِّسَانِ]

وَمَعَاصِي اللِّسَانِ كَثِيرَةٌ أَيْضًا، مِثْلُ: الغِيبَةِ(٦٣)، وَهِيَ: ذِكْرُكَ أَخَاكَ المُسْلِمَ بِمَا يَكْرَهُهُ - وَإِنْ كُنْتَ صَادِقًا -، وَالنَّمِيمَةِ، وَالكَذِبِ(٦٤)،

---

(٦١) رَوَاهُ مُسْلِمٌ (١٥٩٨) مِنْ حَدِيثِ جَابِرٍ رَضِيَ اللَّهُ عَنْهُ قَالَ: «لَعَنَ رَسُولُ اللهِ ﷺ آكِلَ الرِّبَا، وَمُؤْكِلَهُ، وَكَاتِبَهُ، وَشَاهِدَيْهِ».

(٦٢) رَوَاهُ أَبُو دَاوُدَ (٣٦٧٤) مِنْ حَدِيثِ عَبْدِ اللهِ بْنِ عُمَرَ رَضِيَ اللَّهُ عَنْهُ أَنَّ رَسُولَ اللهِ ﷺ قَالَ: «لَعَنَ اللهُ الْخَمْرَ، وَشَارِبَهَا وَسَاقِيَهَا، وَبَائِعَهَا وَمُبْتَاعَهَا، وَعَاصِرَهَا وَمُعْتَصِرَهَا، وَحَامِلَهَا وَالمَحْمُولَةَ إِلَيْهِ».

(٦٣) وَلَا يُشْتَرَطُ لِصِحَّةِ التَّوْبَةِ الِاسْتِحْلَالُ مِنَ المُغْتَابِ وَلَا إِعْلَامُهُ.

(٦٤) وَيُبَاحُ الكَذِبُ لِإِصْلَاحٍ بَيْنَ مُتَخَاصِمَيْنِ، وَلِزَوْجَةٍ لِكَسْبِ مَحَبَّتِهَا، وَفِي حَرْبٍ.

[illegible]
[illegible]

[illegible]

[illegible]
[illegible]

[illegible]

[illegible]
[illegible]

[illegible]

[illegible]
[illegible]

[illegible]

[illegible]

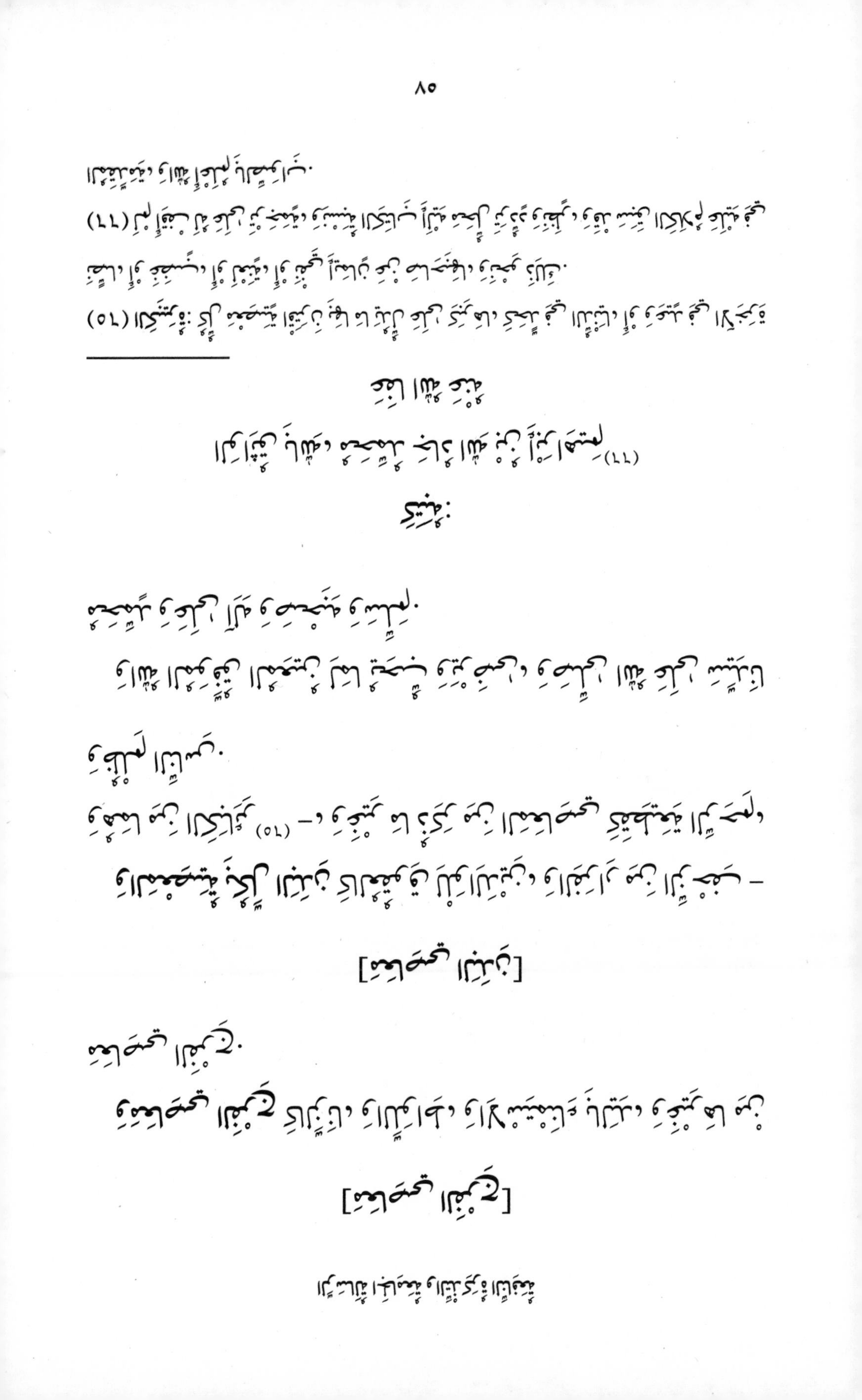

VO

فهرس المصادر والمراجع

١. «**دليل الطالب لنيل المطالب**»، للشيخ مرعي بن يوسف الكرمي (ت: ١٠٣٣هـ)، دار طيبة - الطبعة الأولى ١٤٢٥هـ.

٢. «**نيل المآرب بشرح دليل الطالب**»، للشيخ عبد القادر بن عمر التغلبي (ت: ١١٣٥هـ)، مكتبة الفلاح - الطبعة الأولى ١٤٠٣هـ.

٣. «**الرسالة الجامعة والتذكرة النافعة**»، للشيخ أحمد بن زين الحبشي (ت: ١١٤٤ هـ)، دار المنهاج - الطبعة الثالثة ١٤٣٥هـ.

٤. «**شرح منتهى الإرادات**»، للشيخ منصور بن يونس البهوتي (ت: ١٠٥١هـ)، مؤسسة الرسالة - الطبعة الأولى ١٤٢١هـ.

٥. «**كشاف القناع عن متن الإقناع**»، للشيخ منصور بن يونس البهوتي (ت: ١٠٥١هـ)، وزارة العدل - الطبعة الأولى ١٤٢١هـ.

٦. «**مطالب أولي النهى شرح غاية المنتهى**»، للشيخ مصطفى

بن سعيد السيوطي الرحيباني (ت: ١٢٤٣هـ)، وزارة الأوقاف - الطبعة الأولىٰ ١٤٤٠هـ.

٧. «**منحة مولي الفتح في تجريد زوائد الغاية والشرح**»، للشيخ حسن بن عمر الشطي (ت: ١٢٧٤هـ)، وزارة الأوقاف - الطبعة الأولىٰ ١٤٤٠هـ.

٨. «**هداية الراغب شرح عمدة الطالب**»، للشيخ عثمان بن قائد النجدي (ت: ١٠٩٧هـ)، مؤسسة الرسالة - الطبعة الأولىٰ ١٤٢٨هـ.

٩. «**المطلع علىٰ ألفاظ المقنع**»، للشيخ محمد بن أبي الفتح البعلي (ت: ٧٠٩هـ)، مكتبة السوادي للتوزيع - الطبعة الأولىٰ ١٤٢٣هـ.

١٠. «**صحيح مسلم**»، للإمام مسلم بن الحجاج بن مسلم النيسابوري (ت: ٢٦١ هـ)، دار طيبة - الطبعة الأولىٰ ١٤٢٧ هـ.

١١. «**سنن أبي داود**»، للإمام أبي داود سليمان بن الأشعث السجستاني (ت: ٢٧٥ هـ)، دار الرسالة العالمية - الطبعة الأولىٰ ١٤٣٠ هـ.

١٢. **«سنن ابن ماجه»**، للإمام محمد بن يزيد ابن ماجه القزويني (ت: ٢٧٣ هـ)، مؤسسة الرسالة - الطبعة الأولىٰ ١٤٣٠ هـ.

١٣. **«جامع الترمذي»**، للإمام أبي عيسىٰ محمد بن عيسىٰ الترمذي (ت: ٢٧٩ هـ)، دار الغرب الإسلامي - الطبعة الأولىٰ ١٩٩٦ م.

١٤. **«مسند أحمد»**، للإمام أبي عبد الله أحمد بن محمد بن حنبل (ت: ٢٤١ هـ)، مؤسسة الرسالة - الطبعة الأولىٰ ١٤٢١ هـ.